KU-148-974

БУКВАРИК

ЗАВТРА В ШКОЛУ

Талант

Харків
«Юнісофт»
2020

Аа
А-а-а-а!
Уу
У-а! У-а! У-а!

Мм

М.....а = Ма
М.....у = Му
А.....м = Ам
У......м = Ум

Ма-ма
Ам-ам!
Му-у-у!

Оо

О-о-о!

А-а-а!

У-у-у!

АО ОА АУ УА

УА ОУ УО ОА

АУ ОА УА ОУ

МА ОМ АМ МА

С….а = Са

С….у = Су

А….с = Ас

У….с = Ус

Сс

сам

са-ма

сум

сом

мус

о-са

ма-са

Ма-мо, сом!

Ма-мо, о-са!

Ха-та
му-ха
су-хо
мох

Хо-хо, му-ха!
Ох, ха-та су-ха!
Хо-ма сам, ха-ха-ха!

Х….а = Ха
Х….о = Хо
Х….у = Ху
А….х = Ах
О….х = Ох
У….х = Ух

Ии

ми
си
хи
им
ис
их

му-хи
о-си
со-ми
Хо-ма
Хи-хи!

Ми у ма-ми.
У Хо-ми со-ми.
На, ма-мо, со-ма!

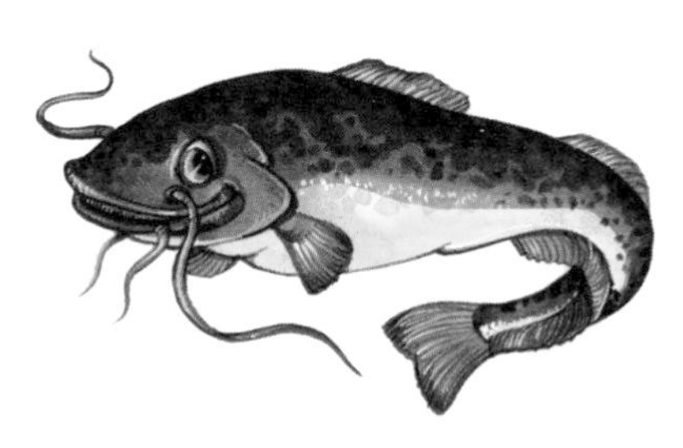

Нн

Н....а = На А....н = Ан
Н....о = Но О....н = Он
Н....у = Ну У....н = Ун
Н....и = Ни И....н = Ин

сос-ни
на-со-си
но-си
са-ни
сон

У си-на са-ни.
На, си-ну, не-си са-ни!

Му-хи, ну-ну-ну!
У ма-ми син.
У си-на сон.

Рр

Р....а = Ра А....р = Ар

Р....о = Ро О....р = Ор

Р....у = Ру У....р = Ур

Р....и = Ри И....р = Ир

ра-ма
Ро-ман
Ма-ри-на
Рим
рис
сир

У Ро-ми сур-ма.
Ро-си, ро-со!
У ма-ми ра-ма.
У-ра, хма-ра!
У Ма-ри-ни
му-хо-мор.

кур-ка
ко-ник
Ок-са-на

К....а = Ка А....к = Ак

К....о = Ко О....к = Ок

К....у = Ку У....к = Ук

К....и = Ки И....к = Ик

У Ро-ма-на ко-ник.

ру-ка
о-ко
ко-са
ма-ки
ко-ра
ка-ка-о
ма-ка-ро-ни

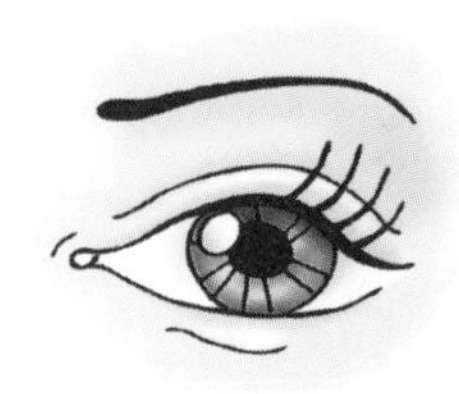

У кур-ки про-со.
У кут-ку нит-ки.
Но, ко-ни-ку!
Ма-мо, он ко-ник!

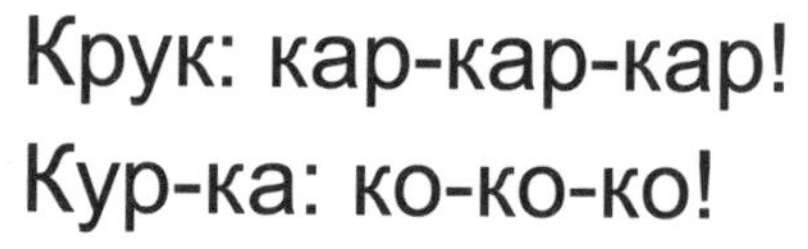

Крук: кар-кар-кар!
Кур-ка: ко-ко-ко!

У Ма-ка-ра ру-ка.
А у ра-ка?

Лл

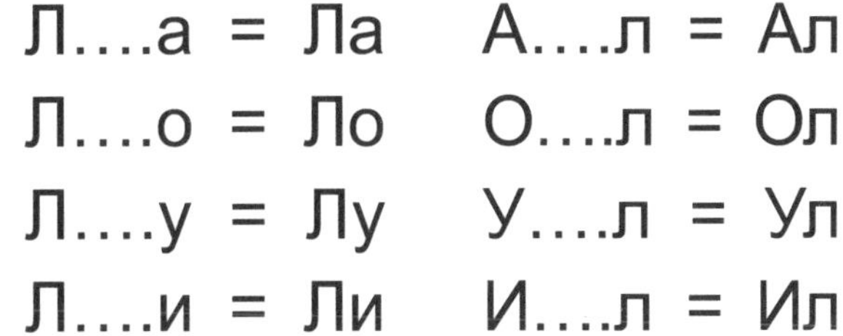

Л....а = Ла А....л = Ал

Л....о = Ло О....л = Ол

Л....у = Лу У....л = Ул

Л....и = Ли И....л = Ил

Ал-ла, ко-ло, мул,
ми-ло, лак, ла-ма,
Ло-ра, ка-ли-на,
ма-ли-на, рос-ли-ни

Ма-ма ми-лом ми-ла Мі-лу.
У Ло-ри ли-мон.
У Ми-кол-ки мо-ло-ток.
Мо-ло-ток тук-тук!
Ма-мо, он лис-ка!

Лі-но, на ма-ли-ну!

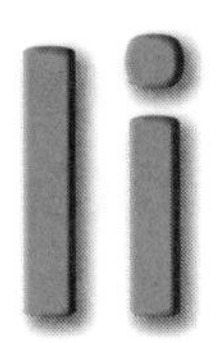

Ік-ра, лі-кар, лі-ки,
сі-но, Ін-на, ко-лі-но,
І-ри-на, нір-ка, кі-но,
лі-то, ніс, ліс,
рік, сік,
і-рис

Лі-кар дав лі-ки.

У лі-сі лис.
У міс-ті лі-то.
Рис ріс у по-лі.
На, І-ри-но, лис-та!
У ма-ми Ін-на та І-гор.

П....а = Па А....п = Ап

П....о = По О....п = Оп

П....у = Пу У....п = Уп

П....и = Пи И....п = Ип

П....і = Пі І....п = Іп

Пи-лип, Па-нас,
Про-кіп, По-лі-на,
пил-ка, пла-ток,
пи-лок, пап-ка,
лам-па, ли-па,
пил, по-піл

Рос-ли рі-па і ка-пус-та на го-ро-ді.
По-лі-на туп-туп!
Ми-кол-ка і Пи-лип-ко пи-са-ли.
Ко-ло ко-лис-ки лам-па.

Тт

Т....а = Та А....т = Ат
Т....о = То О....т = От
Т....у = Ту У....т = Ут
Т....и = Ти И....т = Ит
Т....і = Ті І....т = Іт

Та-ма-ра, Та-рас,
тіт-ка, та-ра,
тар-тин-ка, трал,
ко-тик, стіл, тон-на,
трак-тор, ту-рист,
пла-кат, та-то

Трак-тор тра-та-та!

На марш-ру-ті — ту-рис-ти.
У Та-ма-ри кіт Мар-тин.
На сто-лі тка-ни-на.

Ее

Ес-кі-мо, е-му,
крем, мет-ро,
се-ло, о-сел,
Ле-сик, ве-се-ло,
пер-ли-на,
ле-ле-ка

У ме-не ес-кі-мо.
Ле-ле-ка на ха-ті.

Ле-ті-ли ле-ле-ки,
Сі-ли на сме-ре-ку!

У Ма-ри-ни — пе-ри-на,
У О-ле-ни — пер-ли-на!

Екс-ка-ва-тор — тру-дів-ник.

Шш

Ша-хи, ми-ша,
шко-ла, шир-ма,
ши-на, шпа-ки,
кіш-ка, шор-ти,
ка-ша, шип,
шум, душ

У Ми-ко-ли — ша-хи.
У Кат-ру-сі — шаш-ки.

Ш....а = Ша А....ш = Аш
Ш....о = Шо О....ш = Ош
Ш....у = Шу У....ш = Уш
Ш....и = Ши И....ш = Иш
Ш....і = Ші І....ш = Іш
Ш....е = Ше Е....ш = Еш

Ко-ло нір-ки — кіш-ка.
Там — миш-ка.
Кіш-ко, он миш-ка!
У шип-ши-ни — ши-пи.
Ко-ло шко-ли — каш-тан.

Д....а = Да	А....д = Ад
Д....о = До	О....д = Од
Д....у = Ду	У....д = Уд
Д....и = Ди	И....д = Ид
Д....і = Ді	І....д = Ід
Д....е = Де	Е....д = Ед

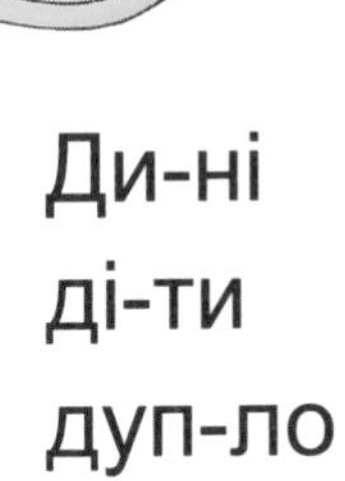

Ди-ні
ді-ти
дуп-ло
дід

У А-да-ма — да-ма.
Да-ни-ло ніс ди-ні.
На ди-ма-рі — кіш-ка.
Ко-ло до-му — са-док.
Дми-тро на дра-би-ні.

Бб

Б....а = Ба Б....и = Би

Б....о = Бо Б….і = Бі

Б....у = Бу Б....е = Бе

Плив ко-раб-лик о-ке-а-ном
із хо-роб-рим ка-пі-та-ном.

Ми хо-ди-ли на ба-лет,
ма-ли вдвох о-дин бі-лет!

Бан-ка, ба-ран, Бо-рис,
ба-тон, со-ба-ка,
ри-бал-ка, бук, ка-бан,
ри-ба, бім, біб

А....б = Аб
О....б = Об
У....б = Уб

Лад-ки, лад-ки,
На-пек-ли о-лад-ки.

Вв

В....а = Ва	А....в = Ав
В....о = Во	О....в = Ов
В....у = Ву	У....в = Ув
В....и = Ви	И....в = Ив
В....і = Ві	І....в = Ів
В....е = Ве	Е....в = Ев

В ліс со-ба-ка, дов-га так-са,
При-нес-ла до вов-ка вак-су.

Ко-ло бе-ре-га ква-куш-ка,
у ква-куш-ки рот до вуш-ка:
— Ви ле-тіть до ро-та,
ко-ма-рі та муш-ки!

Па-вук ви-хо-ву-вав ди-ти-ну —
сплі-тав ди-ти-ні па-ву-ти-ну.
Син на-ста-вив ву-ха —
в па-ву-тин-ні му-ха!

Ву-хо, ва-та, вов-на, ву-лик, ка-ва, плов,
мо-ва, ка-вун, па-вук, вовк, ві-нок, вік-но

Г....а = Га   А....г = Аг

Г....о = Го   О....г = Ог

Г....у = Гу   У....г = Уг

Г....и = Ги   И....г = Иг

Г....і = Гі   І....г = Іг

Г....е = Ге   Е....г = Ег

Ган-на
гу-сак
го-луб
гри-би
по-ріг
го-ра
бе-рег

Луг, га-га-ра,
га-зе-та, га-зон,
га-дю-ка

гур-кіт
грім
глек
гном
круг
гра

Бе-ге-мо-тик всім го-лод-ним
в глек ком-пот на-лив хо-лод-ний.

Спин-ку ко-тик ви-ги-нав,
вго-ру на вік-но стри-бав!

І-гор, ви-но-град,
гру-ша, го-ро-би-на,
гай-ка, аг-ро-ном,
Гліб, Бог-дан

Гу-си не пла-ка-ли —
гу-си га-га-ка-ли!

Бі-до-лаш-ний но-со-ріг —
В но-со-ро-га гост-рий ріг!

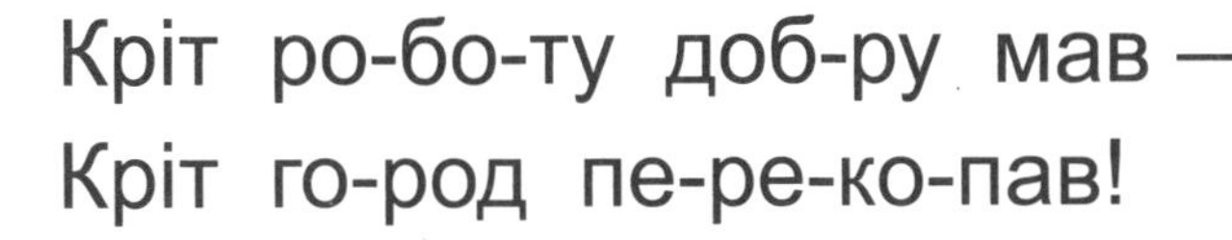

Кріт ро-бо-ту доб-ру мав —
Кріт го-род пе-ре-ко-пав!

А....й = Ай   У.....й = Уй
Е....й = Ей   І......й = Ій
И....й = Ий   Й....о = Йо
О....й = Ой

Лиш по-ба-чив Йо-сип йод —
втік, мов ві-тер, на го-род!

Гай, край, рай, свій,
ми-лий, зе-ле-ний,
лій-ка, май-ка, са-рай,
йог, йод, Йо-сип,
йо-гурт, ма-йо-нез

Мій Бар-бос та-кий смі-ли-вий,
і ве-се-лий, і грай-ли-вий.
«Гав» та «гав» со-бі під ніс —
нам «А-бет-ку» він при-ніс!

Лій-ко, лий, по-ли-вай,
на-пу-вай наш рід-ний край!

Ми блу-ка-ли у-весь день
і зна-йшли у лі-сі пень.
Пень о-пень-ка-ми об-ріс —
не-дар-ма хо-ди-ли в ліс!

Кінь, синь, рись, біль,
мить, мідь, пень, нуль,
пе-ньок, нень-ка,
кра-сень, донь-ка

Мі-ся-ці ро-ку:

сі-чень,	ли-пень,
лю-тий,	сер-пень,
бе-ре-зень,	ве-ре-сень,
кві-тень,	жов-тень,
тра-вень,	лис-то-пад,
чер-вень,	гру-день.

Ко-ло льо-ху квіт-не льон,
си-ніх кві-тів там міль-йон.
Льон си-нень-кий — то тра-ви-на.
Ось і ви-рос-ла... тка-ни-на!

На го-ро-ді геть
не пус-то —
Кріль рос-тить
со-бі ка-пус-ту!

Не вмі-ють тиг-ри
ма-лю-ва-ти,
та доб-ре вмі-ють
по-зу-ва-ти!

Про-ки-да-єть-ся
вед-мідь
і ре-вти бе-реть-ся
вмить!

Зз

З....а = За А....з = Аз
З....е = Зе Е....з = Ез
З....и = Зи И....з = Из
З....о = Зо О....з = Оз
З....у = Зу І....з = Із
З....і = Зі У....з = Уз

Зі-на, зи-ма,
за-мок, на-каз,
гро-за, ка-зан,
ко-за

Зі-ні ко-шик при-нес-ли,
кві-ти в ко-ши-ку були.
Був той ко-шик від За-ха-ра
і від ко-ти-ка Ма-ка-ра.

За за-бо-ром
пе-сик гав-кав.
Мій Тре-зор —
сміш-ний со-ба-ка!

В зо-о-пар-ку

слон-му-зи-ка

ра-зом з біл-ка-ми

ба-зі-кав.

За-гад-ка

Він не гав-кав, не ку-сав,

та в бу-ди-нок не впус-кав!

(За-мок.)

Ста-ла ба-ба сні-го-ва

на мо-ро-зі, мов жи-ва.

І пта-ша ма-ле зі-грі-ла

на-ша ба-ба сні-го-ва!

Ж....а = Жа А....ж = Аж
Ж....е = Же Е....ж = Еж
Ж....и = Жи И....ж = Иж
Ж....і = Жі І....ж = Іж
Ж....о = Жо О....ж = Ож
Ж....у = Жу У....ж = Уж

Жан-на, жа-ба, же-ле,
жи-то, ліж-ко, жін-ка,
жас-мин, жук, жарт

На до-ро-гу жук у-пав.
На до-ро-зі жук ле-жав.
Ми жу-ка не об-ра-жа-ли —
ра-до в не-бо від-пус-ка-ли!

В жит-нім по-лі на ме-жі
грі-ли спи-ни два ву-жі.
По-спи-та-ли ми ву-жа:
— Де ж у по-лі тут ме-жа?
Від-ка-за-ли нам ву-жі:
— Ле-жи-мо ми на ме-жі!

ле-жу ле-жить
си-джу си-дить
дру-жу дру-жить
хо-джу хо-дить
бро-жу бро-дить

мо-жу мо-жуть
жи-ву жи-вуть

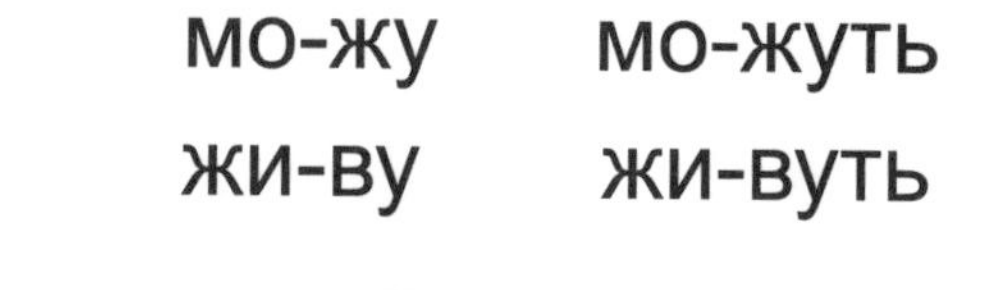

Пес Дру-жок сто-ро-жу-вав —
бук-ву «Ж» о-хо-ро-няв!

Жи-ла в ха-ті жов-та кіш-ка,
а в під-ва-лі — сі-ра миш-ка.
Ніж-но кіш-ка мур-ко-ті-ла,
в гос-ті миш-ку за-про-си-ла:
«Йди вже, по-друж-ко Ма-руш-ко,
мо-ло-ко на-ли-те в круж-ку».
А Ма-руш-ка: «Ні, ні, ні!
Ти не по-друж-ка ме-ні!»

Ґ....а = Ґа	А....ґ = Аґ
Ґ....е = Ґе	Е....ґ = Еґ
Ґ....и = Ґи	И....ґ = Иґ
Ґ....і = Ґі	І....ґ = Іґ
Ґ....о = Ґо	О....ґ = Оґ
Ґ....у = Ґу	У....ґ = Уґ

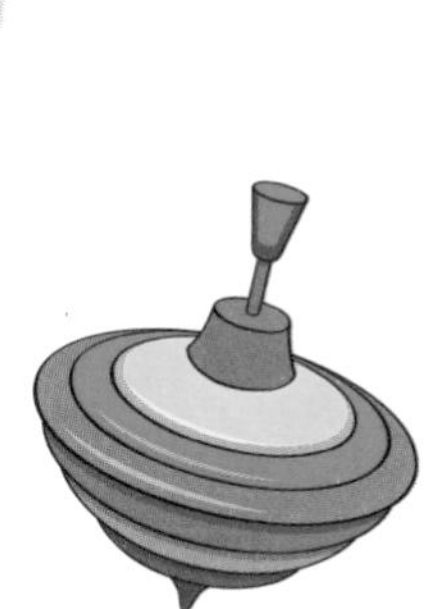

ґа-ва
ґу-дзик
аґ-рус
ґра-ти
ґу-ля
ґро-но
ґвалт
ґел-ґіт
ґрунт
ґедзь
ґа-нок
дзи-ґа

Ґел-ґо-ті-ли гу-си ґа-ві:
— Па-ні, будь-те так лас-ка-ві,
з на-ми ґу-дзи-ка-ми гра-ти.
Тож ле-тіть до нас за ґра-ти!

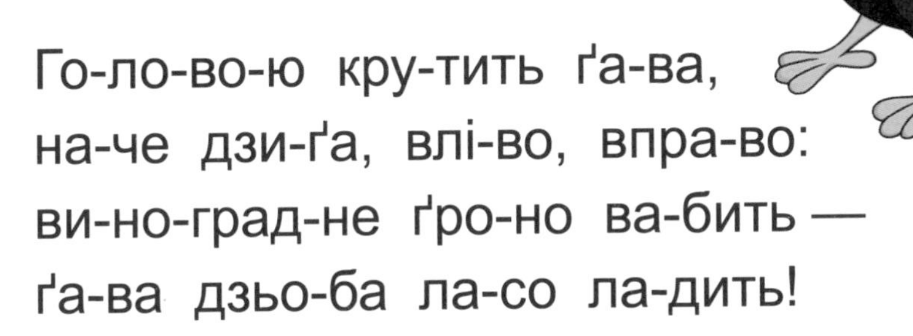

Го-ло-во-ю кру-тить ґа-ва,
на-че дзи-ґа, влі-во, впра-во:
ви-но-град-не ґро-но ва-бить —
ґа-ва дзьо-ба ла-со ла-дить!

Яя

Няв-няв-няв!

До ма-ло-го ко-ше-нят-ка
При-ле-ті-ло пта-ше-нят-ко.
Сте-ре-жи-ся, пташ-ко лю-ба, —
В ко-ше-ня-ти гост-рі зу-би!

Я-на
Ле-ся
ляль-ка
ня-ня
я-ма
ях-та

ряд-но
сук-ня
знан-ня
свя-то
по-ро-ся
ко-ше-ня

Ско-ро-мов-ка

Шу-кав мо-ряк в по-лях бу-ряк.
Зна-йшов мо-ряк в по-лях бу-дяк!

Юю

Я спі-ва-ю. Я тан-цю-ю.
Я сто-ю. Я ма-лю-ю.
Я гра-ю.

Юн-га ми-є у ка-ю-ті,
від-по-чи-не він на ю-ті.
Ю-ний юн-га хо-дить в мо-рі,
по хви-ляс-то-му прос-то-рі.

Ю-рій, ма-люк, ю-нак,
юр-та, лю-бов, і-зюм,
вер-блюд, тюль-пан,
са-лют, клюк-ва,
тю-лень

Риб-ки пла-ва-ють,
пір-на-ють,
про ма-ля-ток
доб-ре дба-ють.

Єє

Є-ва, є-нот, Єв-ген,
Єв-ро-па, є-хид-на,
є-ди-но-ріг, ллє, ши-є,
ми-є, бі-га-є, си-нє

Є є-но-ти в зо-о-пар-ку,
є є-хид-на, за-єць є.
У воль-є-рі ду-же жар-ко —
і є-но-тик во-ду п'є.

Пів-ник на ти-ну спі-ва-є —
День но-вий о-так ві-та-є!

Дід Єв-ген
з ма-лим Єв-ген-ком
За-спі-ва-є
для О-лен-ки.

Про о-хай-ність ві-ник дба-є —
все нав-ко-ло під-мі-та-є!

Її

Їв-га, ї-жак,
по-їзд, ї-жа,
бо-ї, мо-ї,
га-ї, га-їв-ка,
ру-ї-на, їс-ти,
при-їзд,
їз-ди-ти,
ї-даль-ня

Ки-їв — го-лов-не
міс-то У-кра-ї-ни.

Ки-їв-ський
Ми-ко-ла-їв
у-кра-їн-ка
кра-ї-на

Ї-хав по-їз-дом ї-жак,
по-ряд ї-хав дядь-ко рак.
Їх че-ка-ли ї-жа-ча-та
і ма-лень-кі ра-че-ня-та.

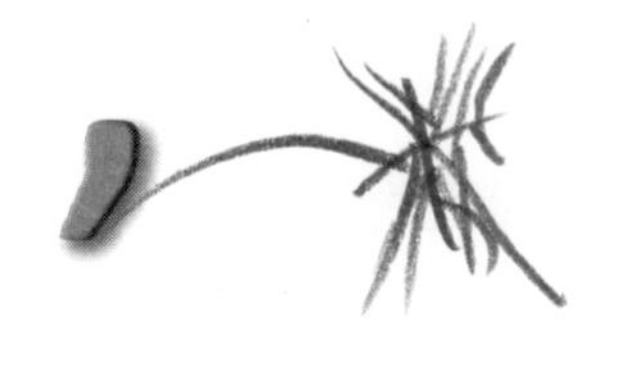

Апостроф робить твердим наступний приголосний звук.

Б’є, п’є, б’ю, п’ю, пір’-я, бур’-ян,
в’юн, м’я-та, п’є-са, п’ять, хом’-як,
під’-їзд, в’їзд, со-лов’-ї, хлоп’-я-та,
м’яч, м’я-со, об’-я-ва

Ли-не піс-ня со-лов’-ї-на,
піс-ня та про У-кра-ї-ну.
Со-лов’-ї піс-ні сво-ї
при-не-суть в гус-ті га-ї!

За-гад-ки

Дві ма-те-рі ма-ють
по п’ять си-нів,
і всім од-не ім’-я.

(Ру-ки.)

Не їсть, не п’є,
а сто-їть і б’є.

(Го-дин-ник.)

Хом’-я-ки зна-йшли м’я-ча,
гра-ли цим м’я-чем в ква-ча:
В хом’-я-ка у-лу-чить м’яч —
той хом’-як для ін-ших — квач!

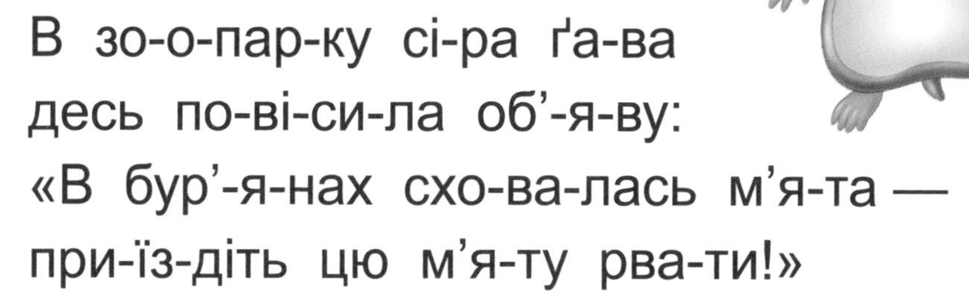

В зо-о-пар-ку сі-ра ґа-ва
десь по-ві-си-ла об’-я-ву:
«В бур’-я-нах схо-ва-лась м’я-та —
при-їз-діть цю м’я-ту рва-ти!»

Черв’-я-чок зні-чев’-я ка-же:
— Черв’-я-чат я не об-ра-жу!

Із в’яз-ко-ю со-ло-ми
по-дав-ся я у сад
і яб-лунь-ку зна-йо-му
за-ку-тав аж до п’ят.

Анатолій Камінчук

Чч

Ч....а = Ча
Ч....е = Че
Ч....і = Чі
Ч....и = Чи
Ч....о = Чо
Ч....у = Чу

А....ч = Ач
Е....ч = Еч
И....ч = Ич
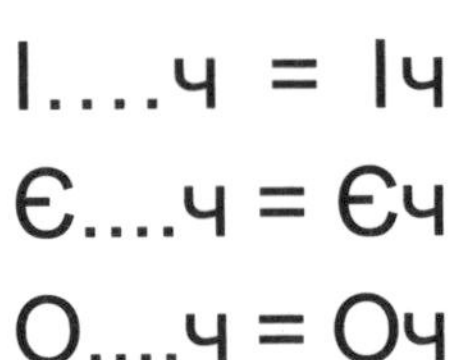
І....ч = Іч
Є....ч = Єч
О....ч = Оч
У....ч = Уч
Ю....ч = Юч
Я....ч = Яч

Чай-ник сер-дить-ся, си-чить,
пар над чай-ни-ком сто-їть.
Гнів йо-му я ви-ба-ча-ю
за смач-нень-ку чаш-ку ча-ю.

пле-че
кач-ка
чо-ло
річ
ніч
чай
ме-чі
са-чок
руч-ка
ка-ла-чі
чай-ник
чо-бо-ти
Чер-ні-гів
Чер-ка-си
Чер-нів-ці

Ба-ю, ба-ю, ба-ю, бай!
Ти, ди-тин-ко, за-си-най.
При-ле-ті-ли гу-лі
до ма-ло-ї Ю-лі:
«Лю-лі, лю-лі, лю-лень-ки,
за-си-най-бо, Ю-лень-ко».
При-ска-кав і зай-чик,
Ю-лі ніс о-край-чик.
Ю-лень-ку ка-ча-є —
Ю-ля за-си-на-є...

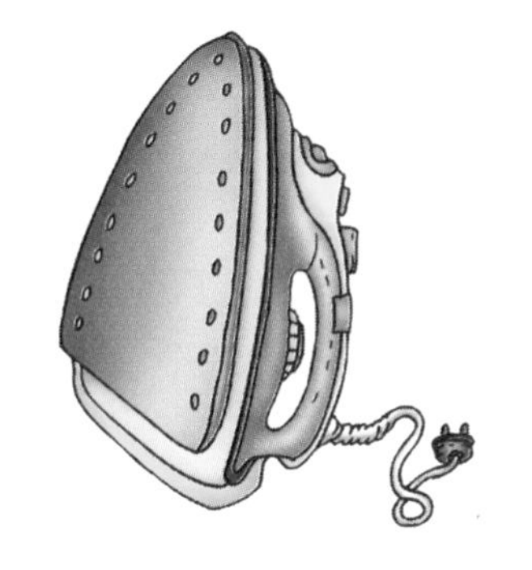

За-гад-ка

Рів-не все, чо-го тор-ка-юсь.
А ме-не торк-неш — ку-са-юсь!
(Прас-ка.)

Цц

Ц....а = Ца	А....ц = Ац
Ц....е = Це	Е....ц = Ец
Ц....и = Ци	Є....ц = Єц
Ц....і = Ці	И....ц = Иц
Ц....о = Цо	І....ц = Іц
Ц....у = Цу	О....ц = Оц
Ц....ю = Цю	У....ц = Уц

Ці-на, ца-пок, цег-ла, ли-це, яй-це,
цит-рус, цу-кер-ка, па-цюк, ки-ця,
о-цет, ці-пок, мі-сяць, хло-пець,
цирк, о-лі-вець, цар, цап, ціп

Цар у цар-стві ца-рю-вав —
всім цу-кер-ки да-ру-вав!

Йшов у гос-ті цап до ки-ці,
ніс о-клу-нок мо-ло-ди-ці.
Ніс ци-бу-лі ці-лий міх.
Ро-зі-брав тут ки-цю сміх:
— Від ци-бу-лі я вже пла-чу,
а цу-ке-ро-чок не ба-чу!

За-гад-ки

— Кар-кар-кар, — во-ла-є пти-ця. —
В сво-їм лі-сі я ца-ри-ця.
Та ні цар-ства, ні ко-ро-ни —
все про-кар-ка-ла...

(во-ро-на.)

Пруд-ко-но-га,
хит-ро-ли-ця,
Об-хит-рить у-сіх...

(ли-си-ця.)

Пам’-я-та-є і ко-мар,
що цей звір в са-ва-ні — цар!
По-стать іс-тин-но ца-ре-ва.
У-пі-зна-ли, дру-зі, ... ?

(ле-ва)

Щ....а = Ща
Щ....е = Ще
Щ....і = Щі
Щ....и = Щи
Щ....у = Щу
А....щ = Ащ

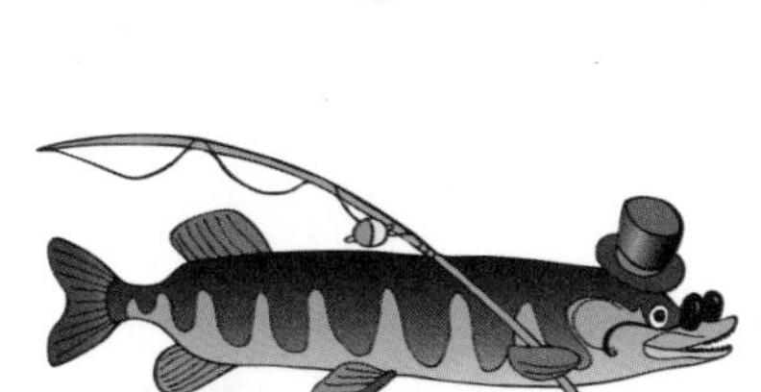

Е....щ = Ещ
Є....щ = Єщ
И....щ = Ищ
О....щ = Ощ
У....щ = Ущ
І....щ = Іщ
Ю....щ = Ющ
Я....щ = Ящ

Щу-ка, що-ка, щіт-ка, щит,
щед-рий, ще-ня, кущ, щур,
дощ, щиг-лик, ща-вель, кліщ

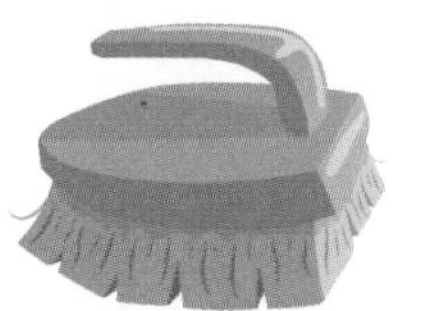

Щиг-лик і зай-чик

Си-дить щиг-лик та ще-бе-че
на ку-щі весь день і ве-чір.
Ба-ра-бан-щик зай-чик слу-ха —
на-шо-ро-шив дов-гі ву-ха.

Рак і щу-ка

Рак для щу-ки, чи-ки-бри-ки,
зшив доб-ря-чі че-ре-ви-ки.
При-мі-ря-ти хут-ко біг,
та не-ма у щу-ки ніг!

Ф....а = Фа А....ф = Аф
Ф....е = Фе Е....ф = Еф
Ф....і = Фі И....ф = Иф
Ф....и = Фи І....ф = Іф
Ф....у = Фу О....ф = Оф
Ф....о = Фо У....ф = Уф

Фе-дір, Фа-ї-на, фо-то, фа-ра,
ша-фа, ал-фа-віт, се-ма-фор, наф-та,
фо-кус, фар-ба, фор-ма, світ-ло-фор,
фут-бол, жи-ра-фа, про-фе-сі-я

За-гад-ка

Сте-по-вий яс-кра-вий птах,
По-важ-но хо-дить,
на-че граф!

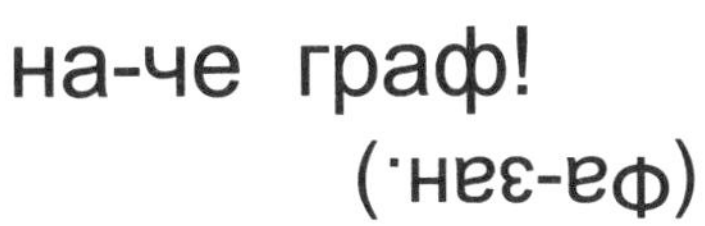

Не ді-ста-ти до жи-ра-фи,
на-віть зліз-ла б я на ша-фу.
То й си-джу со-бі на ша-фі,
а вда-ю, що на жи-ра-фі!

— Ти чо-го це пла-чеш, лю-бий?
— Бо бо-лять у ме-не зу-би…
— Тож ко-рис-ні їж про-дук-ти:
ка-шу, фі-ні-ки і фрук-ти!

У Ан-фі-си пов-на
ша-фа —
Туф-лі, коф-ти,
різ-ні шар-фи!

Те-ле-фон наш го-мін-кий,
ба-ла-ку-чий і дзвін-кий!

Буквосполучення ДЖ

джа дже джи джі джу

Ба-чив Джон стра-шен-ний сон:
Ви-лив джем на джем-пер Джон.
Дже-ма бджо-лам тут до-во-лі,
Тож дзиж-чать над ним, як в по-лі!

В лу-ках джміль по-ба-чив міль.
Та й го-во-рить мо-лі джміль:
— Джу-джу-джу, джу-джу-джу —
Я з то-бо-ю не дру-жу!

Дз

Буквосполучення ДЗ

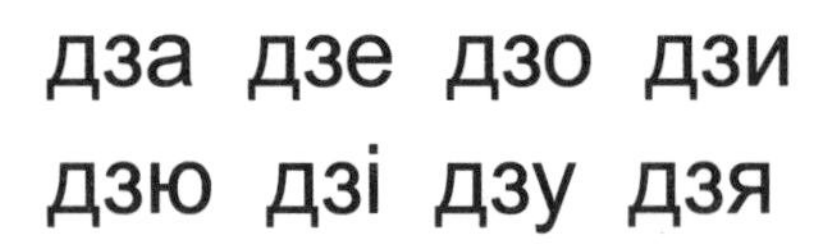
дза дзе дзо дзи
дзю дзі дзу дзя

дзво-ни-ки
ро-дзин-ки
ку-ку-ру-дза
дзві-нок
дзво-ни-ти
дзво-нар

Дзюр-ко-ті-ло дже-ре-ло —
на-пу-ва-ло все се-ло.
А над ним хи-ли-лась гіл-ка —
там дзиж-ча-ла жов-та бджіл-ка.

Дзві-ноч-ки в по-лі на-ро-ди-лись,
дзві-ноч-ки в о-зе-ро ди-ви-лись:
во-да, як дзер-ка-ло бли-щить,
а над дзві-ноч-ком джміль дзиж-чить.

Черв’-я-ча піс-ля до-щу
по-хва-ля-ло-ся хру-щу:
— Йду у гос-ті до ля-щів
їс-ти риб’-я-чі бор-щі...
Вчас-но встиг він до бор-щу —
смач-но сні-да-лось ля-щу!

У гу-ща-ви-ні
вов-чи-ще,
На-че ві-тер,
ви-є, сви-ще.
Чо-го ж сви-ще
не-бо-рак?
У-щип-нув
йо-го... гу-сак!

На лу-ках птах тра-ву щи-пав
і там тюль-па-ни від-шу-кав!

Хто це?

На-че франт, о-цей гу-сак
но-сить сніж-но-бі-лий фрак.
На-тяг-нув
на сво-ї ніж-ки
дві ру-бі-но-ві
пан-чіш-ки.

А це хто?

Я ве-се-ла, мо-ло-да
і не бі-ла, а ру-да.
На гіл-ках вго-рі
стриб-стриб —
бо го-ріш-ки —
це мій хліб!

А це?

Пташ-ка я чер-во-но-гру-да.
Взим-ку я лі-та-ю всю-ди.
З пер-шим сні-гом при-лі-та-ю —
Го-ро-би-ну об’-ї-да-ю!

Об'-я-ва

Ку-пу-ю, про-да-ю —
Об'-я-ву да-ю.

А Б В Г Ґ

Д Е Є Ж З

И І Ї Й К

Л М Н О П

Р С Т У Ф

Х Ц Ч Ш Щ

Ь Ю Я

КО-ЛО-БО́К

Жи-ли́ со-бі́ дід та ба́-ба. От про́-сить дід:

— Спе-чи́, ста-ра́, ко-ло-бо́к.

— З чо-го́ спек-ти́? Бо́-ро-шна не-ма́-є.

— А ти по ко́-ро-бу по-шкре-би́, по за́-сі-ку по-ме-ти́; мо́-же, бо́-ро-шна й на-бе-ре́ть-ся.

По-слу́-ха-лась ба́-ба — по ко́-ро-бу по-шкреб-ла́, по за́-сі-ку по-ме-ла́, і на-бра́-ло-ся бо́-ро-шна жме́-ні зо́ дві. За-мі-си́-ла на сме-та́-

ні ті́с-то, спек-ла́ на ма́с-лі ко-ло-бо́к та й по-кла́-ла на ві-ко́н-це ос-ти-га́-ти.

А ко-ло-бо́к тро́-хи по-ле́-жав та й по-ко-ти́в-ся — з вік-на́ на ла́в-ку, з ла́в-ки на під-ло́-гу, по під-ло́-зі до две-ре́й, пе-ре-стриб-ну́в че́-рез по-ріг та у сі-ни, а з сі-не́й на ґа́-нок, а з ґа́-нку у двір, а з дво́-ру за во-ро́-та.

Ко́-тить-ся ко-ло-бо́к по до-ро́-зі, а на-зу́-стріч йо-му́ за́-єць:

— Ко-ло-бо́к, ко-ло-бо́к! Я те-бе́ з'їм!

— Не їж ме-не́, ко́-сий за́й-чи-ку! По-слу́-хай, я-ку́ я то-бі́ га́р-ну пі́-сень-ку за-спі-ва́-ю, — ска-за́в ко-ло-бо́к і за-спі-ва́в:

— Я по ко́-ро-бу ме́-те-ний,
На сме-та́-ні мі́-ша-ний
Та на ма́с-лі спе́-че-ний.

Я від ба́-би у-ті́к,

Я від ді́-да у-ті́к,

То й від те́-бе вте-чу́!

І по-ко-ти́в-ся ко-ло-бо́к со-бі́ да́-лі по до-ро́-зі; тіль-ки ко́-сий за́-єць йо-го́ і ба́-чив!..

Ко́-тить-ся ко-ло-бо́к, аж тут сі-рий вовк:

— Ко-ло-бо́к, ко-ло-бо́к! Я те-бе́ з'їм!

— Не їж ме-не́, сі́-рий во́в-че! Кра́-ще я то-бі пі-сень-ку за-спі-ва́-ю!

Я по ко́-ро-бу ме́-те-ний,

На сме-та́-ні мі́-ша-ний

Та на ма́с-лі спе́-че-ний.

Я від ба́-би у-тік,

Я від ді́-да у-ті́к,

Я від за́й-ця у-ті́к,

То й від те́-бе вте-чу́!

І по-ко-ти́в-ся ко-ло-бо́к да́-лі.

От ко́-тить-ся ко-ло-бо́к, а на-зу́-стріч йо-му́ кли-шо-но́-гий вед-мі́дь:

— Ко-ло-бо́к, ко-ло-бо́к! Я те-бе́ з'їм!

— Не то-бі́, кли-шо-но́-го-му, з'ї́с-ти ме-не́! Кра́-ще я то-бі́ га́р-ну пі́-сень-ку за-спі-ва́ю:

Я по ко́-ро-бу ме́-те-ний,
На сме-та́-ні мі́-ша-ний
Та на ма́с-лі спе́-че-ний.

Я від ба́-би у-ті́к,

Я від ді́-да у-ті́к,

Я від за́й-ця у-ті́к,

Я від во́в-ка у-ті́к, то й від те́-бе вте-чу́!

І зно́-ву по-ко-ти́в-ся ко-ло-бо́к далі.

Ко́-тить-ся ко-ло-бо́к, аж тут ли-си́-ця:

— Здра́с-туй, ко-ло-бо́к! Я-ки́й же ти га́р-ний! За́-раз я те-бе́ з'ї́м!

А ко-ло-бо́к їй від-ка́-зу-є:

— Ой, не їж ме-не́, ли-си́-чко-сес-три́-чко!

Я то-бі га́р-ну пі-сень-ку за-спі-ва́-ю:

Я по ко́-ро-бу ме́-те-ний,

На сме-та́-ні мі́-ша-ний

Та на ма́с-лі спе́-че-ний.

Я від ба́-би у-тік,

Я від ді́-да у-тік,

Я від зá́й-ця втік,

Я від вó́в-ка втік,

Від вед-мé-дя у-ті́к,

То й від тé-бе, ли-си́ч-ко, вте-чу́!

— Ох і гáр-на ж тво-я́ пі́-сень-ка! — кá-же ли-си́-ця. — А-лé ж я вже дý-же ста-рá стá-ла, не-до-чу-вá-ю; то ти сі-дáй бли́ж-че до мо-гó вýш-ка та за-спі-вáй го-лос-ні́-ше.

Ко-ло-бóк зра-дíв, що ли-сú-ці так спо-дó-ба-ла-ся йо-гó пí-сень-ка, скó-чив прóс-то їй на мóр-до-чку і ще го-лос-нí-ше про-спі-вáв сво-ю пі-сень-ку.

— Спа-сú-бі, ко-ло-бóк! Ну й гáр-на тво-я́ пі-сень-ка, ще б по-слý-ха-ла! Сі-дáй на мій я-зи-чóк, за-спі-вáй ос-тáн-ній ра-зó-чок, — ска-зá-ла ли-сú-ця і вú-су-ну-ла свій я-зúк.

Ко-ло-бо́к з дур-но́-го ро́-зу-му стриб-ну́в їй на я-зи́к, а ли-си́-ця йо-го́ — гам! — та й з'ї́-ла.

РІП-КА

(за І. Франком)

Я́-кось на-вес-ні́ по-са-ди́в дід ріп-ку. Пра-цю-ва́в дід не-ма́р-но: зі-йшла́ ріп-ка га́р-но.

Пі-шо́в то-ді́ наш дід у го-ро́д: гуп, гуп! У-зя́в ве-ли́-ку ріп-ку за зе-ле́-ний чуб: тя́г-не ру-ка́-ми, впе́р-ся но-га́-ми — му́-чив-ся у-ве́сь день, а ріп-ка си-ди́ть у зем-лі́, як пень.

По-кли́-кав дід на до-по-мо́-гу ба́-бу:

— Хо-ди́, ба́-бо, не ле-жи́, ме-ні́ ріп-ку ви́-рва-ти по-мо-жи́!

У-зя́в дід ріп-ку за чуб, ба́-ба ді́-да за пле-че́ — тя́г-нуть, аж піт те-че́! Пра-цю-ва́-ли ру-ка́-

ми, впи-ра́-ли-ся но-га́-ми — му́-чи-ли-ся у-ве́сь день, а ріп-ка си-ди́ть у зем-лі́, як пень.

По-кли́-ка-ли вну́-чку. У-зя́в дід ріп-ку за зе-ле́-ний чуб, ба́-ба ді-да за со-ро́-чку, вну́-чка ба́-бу за то-ро́-чку. То́р-га-ли ру-ка́-ми, впи-ра́-ли-ся но-га́-ми — му́-чи-ли-ся у-ве́сь день, а ріп-ка си-ди́ть у зем-лі́, як пень.

По-кли́-ка-ли Жу́-чку. Взяв дід ріп-ку за чуб, ба́-ба ді-да за со-ро́-чку, вну́-чка ба́-бу за то-ро́-чку, Жу́-чка вну́-чку за спід-ни́-чку — му́-чи-ли-ся у-ве́сь день, а ріп-ка си-ди́ть у зем-лі́, як пень.

По-кли́-ка-ли ки́-цю. У-зя́в дід ріп-ку за чуб, ба́-ба ді-да за со-ро́-чку, вну́-чка ба́-бу за то-ро́-чку, Жу́-чка вну́-чку за спід-ни́-чку, ки́-ця Жу́-чку за хво́с-тик — все ма́р-не.

То-ді́ по-кли́-ка-ли ми́ш-ку. Взяв дід ріп-ку за чуб, ба́-ба ді-да за со-ро́-чку, вну́-чка ба́-бу за то-ро́-чку, Жу́-чка вну́-чку за спід-ни́-чку, ки́-ця Жу́-чку за хво́с-тик, ми́ш-ка ки́-цю за ла́п-ку — по-тяг-ли́ ра́-зом та й ви́-тяг-ну-ли ріп-ку!

Зміст

УДК 373.29
ББК 74.102
Я47

Любов Василівна Яковенко

Я47 **Букварик**. — Харків: Юнісофт, 2020. — 64 с.: іл. — (Серія «Завтра в школу»).
ISBN 978-966-935-614-7.

Наш букварик — чудовий помічник у навчанні дитини читанню. Малюк із задоволенням буде опановувати абетку, вчитися читати склади, слова і речення, розглядаючи малюнки, слухаючи вірші та розгадуючи загадки.

УДК 373.29
ББК 74.102

ISBN 978-966-935-614-7

Навчальне видання
Серія «Завтра в школу»

Яковенко Любов Василівна

БУКВАРИК

Для дітей дошкільного та молодшого шкільного віку

Головний редактор *Л. М. Гуменна*
Редактор *В. В. Борзова*
Додрукарська підготовка *С. В. Попової*
Дизайн та комп'ютерне макетування *Т. В. Воєнної*

Підписано до друку 05.02.2020.
Формат 70×90 1/16. Гарнітура Arial.
Папір офсетний. Друк офсетний.
Умовн. друк. арк. 4,68
Тираж 7000 прим. Зам. № 77/02.
Термін придатності необмежений

ПП «Юнісофт»
вул. Морозова, 13б, м. Харків, 61036
Свідоцтво суб'єкта видавничої справи
ДК № 5747 від 06.11.2017

З питань придбання літератури
звертайтесь у відділ реалізації видавництва «Талант»
за телефонами:
(057) 714-67-62; (067) 570-64-88; (050) 364-72-19;
e-mail: knigitalant@ukr.net

shop.talantbooks.com.ua